小学館文庫

求めない

加島祥造

小学館

もくじ

イラスト　安福望
装丁　西田優子

はじめに

誤解しないでほしい。
「求めない」と言ったたって、
どうしても人間は「求める存在」なんだ。
それはよく承知の上での
「求めない」なんだ。

食欲性欲自己保護欲種族保存欲

みんな人間のなかにあって
そこから人は求めて動く——それを
否定するんじゃないんだ、いや
肯定するんだ。
五欲を去れだの煩悩を捨てろだのと
あんなこと
嘘っぱちだ、誰にもできないことだ。

「自分全体」の求めることは
とても大切だ。ところが
「頭」だけで求めると、求めすぎる。
「体」が求めることを「頭」は押しのけて

別のものを求めるんだ。
しまいに余計なものまで求めるんだ。

じつは
それだけのことなんです、
ぼくが「求めない」というのは
求めないですむことは求めないってことなんだ。

すると
体のなかにある命が動きだす。
それは喜びにつながっている。

だけどね、
意外にむずかしいんだ、だって
わたしたちは
体の願いを頭で無視するからね。

ほどよいところで止める——それがポイントだ。でも
それができなければ、ときには
もう求めない
と自分に言ってみるだけでいい。
すると、それだけでもいい気分になると分かるよ。

あらゆる生物は求めている。

命全体で求めている。
一茎の草でもね。でも、
花を咲かせたあとは静かに
次の変化を待つ。
そんな草花を少しは見習いたいと、
そう思うのです。

求めない

求めない——
すると
簡素な暮しになる

求めない——
すると
いまじゅうぶんに持っていると気づく

求めない――
すると
いま持っているものが
いきいきとしてくる

求めない――
すると
それでも案外
生きてゆけると知る

求めない——
すると
改めて
人間は求めるものだ
と知る

求めない――
すると
キョロキョロしていた自分が
可笑《おか》しくなる

求めない――
すると
ちょっとはずかしくなるよ
あんなクダラヌものを求めていたのか、と

求めない――
すると
心が静かになる

求めない——
すると
楽な呼吸になるよ

求めない――
すると
体ばかりか心も
ゆったりしてくる

求めない――
すると
心が広くなる

求めない——
すると
ひとに気がねしなくなる

求めない——

すると

自分の好きなことができるようになる

求めない——
すると
恐怖感が消えてゆく

求めない――

すると
心が澄んでくる

求めない——

すると
悲しみが消えてゆく

求めない――

すると
時はゆっくり流れはじめる

求めない――

すると
心に平和がひろがる

求めない——
すると
無駄口をきかなくなるよ

求めない――
すると
慌てたりしなくなるよ

求めない――
すると
待つことを知るようになる

求めない――
すると
自然の流れに任すようになる

求めない――
すると
判断がフェアになる

求めない――
すると
冷静に見る目となる

求めない——
すると
現実がよく見えはじめる

求めない――
すると
自分を客観できるんだ

求めない——
すると
求めない自分の淋しさを知る

求めない――
すると
求めない自分の勇気を知る

求めない——
すると
ほんものをさがしている自分に
気づく

求めない――
すると
自分のセンター（中心）が見えてくる

求めない――
すると
自立した自分がいる

求めない――
すると
自分の時計が回りだす

求めない——
すると
いま自分にあるもの、、、、、が
素晴らしく思えてくる

求めない――
すると
もっと大切なものが見えてくる
それは
すでに持っているもののなかにある

求めない——
すると
ひとも君に求めなくなる

求めない——
すると
ひとから自由になる

求めない——
すると
ひとの言うことが前より
よく分かるようになる
そして
ひとの話をよく聞くようになる
すると
ひとは
とても喜ぶものだよ

求めない――
すると
ひとは安心して君に寄ってくる

求めない——
すると
君の目つきが違ってくる。
すると、ひとも君を
違った目で見るようになるよ

求めない——
するとそのひと、、、、となりの威厳があらわれる

求めない——
すると
君に求めているひとは去ってゆく

求めない——
すると
君に求めないひとは
君とともにいる

求めない――
すると
ひとは君に心を向ける

求めない――
すると
ひととの
調和が起こる

求めない――
すると
ひとの心が分かりはじめる
だって、利害損得でない目で見るからだ

世の中のひとたちは
あまりに求めてばかりいる
君ひとり
求めないでごらん
珍しがられるから

求めない――
すると
なにを考えてるのだ
とひとは聞く

君はただ笑っていればいい！

求めない――

すると
ユーモアの心がはたらきだすよ

求めない――

すると
心が晴れてくるのを感じるよ

求めない——

すると
驚きの心が目をさます

求めない――
すると
求めなくっても平気だ
と知る

求めない——
すると
失望しない

求めない――
すると
自分のリズムで
動くようになる

求めない――
すると
求めないでも生きてゆけることが
どんなに嬉しいものかを知る

求めない――
すると
子どものころのあの喜びを
実感するよ

求めない――
すると
いま在る自分をそのまま見はじめる

求めない――
すると
自分が貴いものと分かる
だって
求めない自分は
誰にも属さないから

求めない――
すると自分が
無意識にさがしていたものに気づく

求めない――
すると
自分にほんとに必要なものはなにか
分かってくる

求めない——
すると
自分のなかのものの方が
ずっと大切なんだ、と知る

求めない——

すると
求めたときは
見えなかったものが――
見えてくる

求めない——

すると
求めなくとも
自分と
つながっているものがあるのに気づく

求めない——

すると
求めないでもいられる自分に驚く

求めない――

すると
内から湧くものに気づく

求めない――

すると
心が空に向かって開く

求めない——

すると
自分の心がどこへ行きたいのか
分かる

求めない——

すると
求めないほうがはるかに面白くなる

ほんとなんだ、
求める自分ってつまらないが
求めない自分って、いきいきしていて
とても面白い人間なんだ

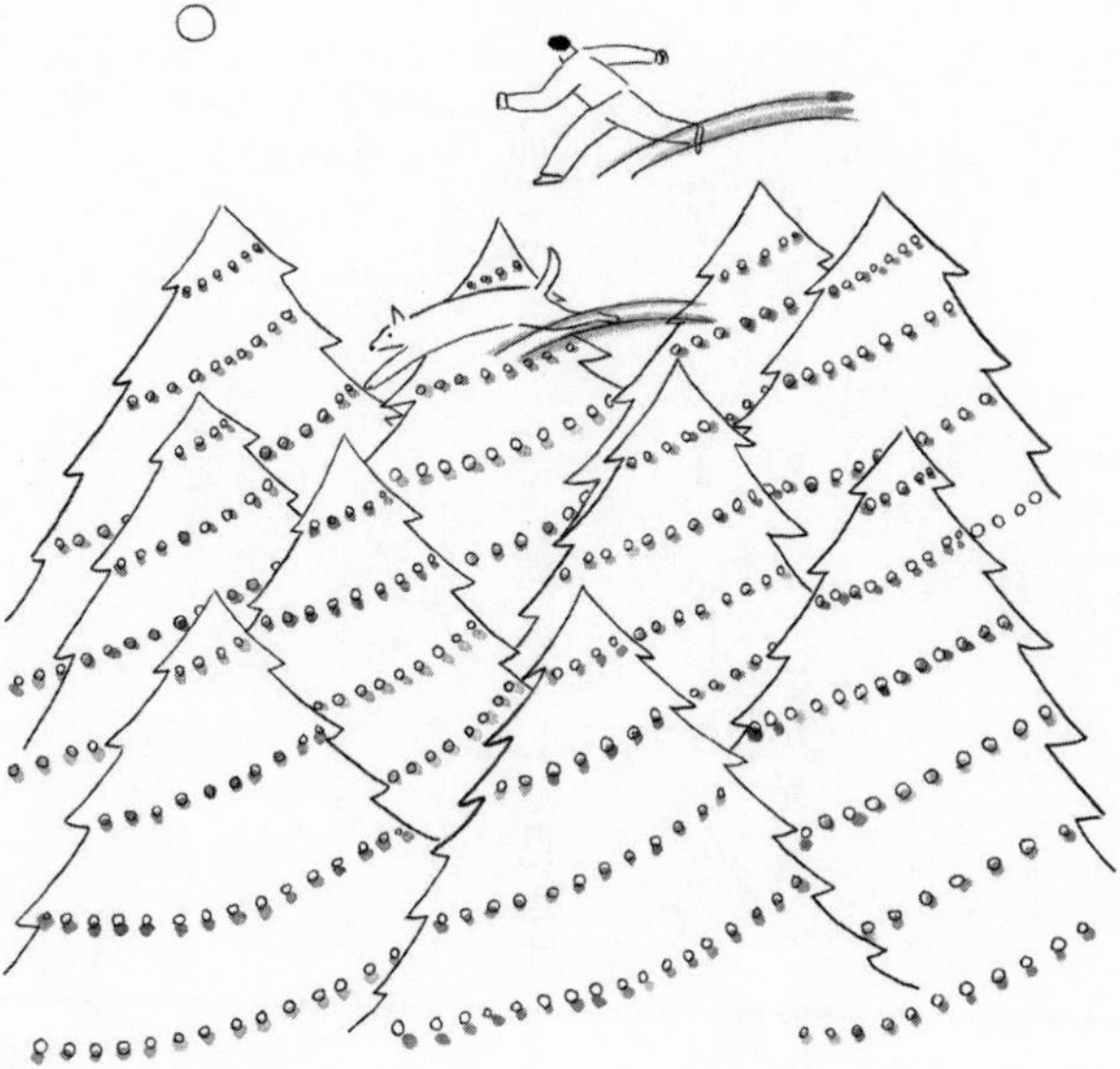

求めない——
すると
前よりもひとや自然が美しく見えはじめる

ほんとうだよ、試してごらん
求めないものの美しさが見えてくるんだ！

求めない――
すると
自分のなかのバランスが
回復しはじめるのを感じるよ

求めない――
すると
自分の内なる可能性が
動きだすよ
そこがとても楽しいポイントなんだ

求めない——
すると
すべてが違って見えてくる
（だって、さがさない眼になるからだ）

求めない——
すると
耳が違ったものを
聞きはじめる
（求めてたときには聞こえなかった声が
聞こえはじめる）

求めない――
すると
笑いがこみあげてくる
（お世辞笑いじゃないよ
愛想笑いじゃないよ
自分自身でいられることからくる笑いさ）

求めない――
すると
比べなくなる
（ひとと自分を
過去と今を
物と価値を
持つと持たぬとを）

求めない――
すると
自分が大人になったのだと悟る
（どんなに年をとろうと
求めるだけのひとは子どもだ）

求めない——
すると
しばしば
求めたら来なかったことが
やって来るよ

（ただし、すぐにではない
あなたの忘れたころにだよ）

求めない――
すると
もともと、求める気なんかなかったと知る
そそのかされたから
根のない恐れに駆られたから
虚栄にそそのかされたから求めたんだ、
と知るよ

求めない――

すると
いまの自分が
大切になる

求めない――

すると
自分の声がきこえてくる

求めない——

すると
沈黙が生まれる
(その静けさから
君のなかのなにかが湧いてくる
——愛かもね)

求めない――

すると
命の求めているのは別のものだ
と知る

求めない――
すると「自然」になる

だって自然はひとに
求めないからだ！

求めない――

すると
消化がよくなるよ
血のめぐりもよくなる！
（精神のことを言っているのだが
体にも当てはまるかもね）

求めない——

すると
自分の別の顔が見えてくる
それは
柔らかな顔をしている

求めない——

すると
求めている自分を見つめる自分に
気づくんだ

求めない――
ということは
いまのままでじゅうぶん
と知ることなんだ

じゅうぶんと感じないから求める？
ちがう、
じゅうぶんと知らないから求めるんだ
体はじゅうぶんと感じているけれど
頭が知らんぷりしているのだよ

少ししか求めない――
すると
その手に入った少しのものを
大切にする
ほんとに味わう
そして、ほんとに楽しむよ

求めない――
すると自分が
自分の主人になる

だって求めるかぎり
君は、求めるものの
従者だもの

求めない——
すると
「いま、ここ」のなかにいる。
心は先走らず
己のままでいる

求めない——
すると
無限の空が怖くなくなる

求めない――
すると
自由を感じる

その自由から
エナジーが湧く

「求める」から
「求めない」に入ったとき
数々の可能性がひらけるんだ——

求めないで
静かにいる
それがこの世に安らぐことだ

簡単なことなんだ

なぜ、こんな田舎に
居るのかって？　都会の暮しで
心がひとを求めすぎちまってなあ――
苦しくなったんだ

*

求めない――
すると
それはとても
珍しい心の状態だと気づいた。

だって
いままで
求めないでいたことなんて
なかったからだ。

「求めない」なんて気持ちに
なることなんてなかった――
「いらない」とは言うかもしれない
でもね、それは
ほかにほしいものがあるときに言うんだ
「それはいらない、けれど……」なんだ。

＊

求めない――
なんて言葉をつらねて
あなたに聞いてもらうことを
私は求めている。

たしかにその通りだけれど
あなたが聞き捨てても
不平を言わない。
聞き入れられなくても
不満を持たず

悲しがらず
怒らずにいようとする——
そういう求めかただったら
我慢してもらえるかな。

＊

求める——
求めない——
この二色の糸を、自分の
人生の模様に織りこめれば、
ライフはいいバランスのものになる。

＊

ひとはなにも求めないことなんてありえない。
ひとはいつも、求めている。
いつも求めてやまぬ存在だ。

ひとには
他人に求めるときと
自分に求めるときがある。

自分の命を生かすために衣、食、住を求める——
それらは当然だ——体が求めることだ。

知力が動き、知ることを求める——
それも当然だ——頭が求めることだ。
自分がよりよく生きるためと
ひとをよりよく生かすために
この両方は必要さ——ただね、
いまの君は、体と頭のどちらの求めに
より多く従っているか。
体よりも頭が威張っていて
よけいに求めすぎていないか——
頭は欲張りなんだ。そしてしばしば
頭に引っ張られて
体もせっせと動きすぎるんだ。

ほんの
五分間、いや三分間でいい
なにも「求めない」でいてごらん——
為すことを無しにして
全身を
頭の支配から解放してごらん——

できれば野原にあおむけにねころぶ。
できれば海に大の字に浮いてみる。
目は
浮き雲の動きを映すだけ、

耳は
ただ音を受け入れるだけ、
口は
息の出入りに任せている。

すると君は体が、
命のままに生きていると知る——
求めないで放っておいても
体はゆったり生きていると知る。

*

一切なにも求めるな、
と言うんじゃあないんだ
どうしようか、
と迷ったとき
求めない――と
言ってみるといい。
すると
気が楽になるのさ。

*

求めない——
すると
静かだ。

そうなんだ
騒がしい頭意識の水面の下には
静寂で美しい世界があるんだ。

あるとき私は
バリ島の海で浮いていて

スコールに出くわした——
すさまじい水面にいるのが苦しくて
その下のサンゴ礁に潜った。
そのときの私は
なにも求めなかった
サンゴもサカナもさがさなかったんだ。
するとそこに静寂と
美の世界があった！

そのとき求める意思を忘れた心は
サンゴやサカナの
自在な動きのつくる

永遠の現在のなかに
いたんだ——そこにあるのは
あとさきを求めない美しさだったよ。

ただね、
じきに浮きあがったのさ——
息がつづかないんだ。
じっさい人間は
意識というサワガシイ水面に
生きる存在でね、
「求めない」ものの国には
長くはいられないのさ。

面白いことに
酸素ボンベをつけて潜る連中は
見つけることばかり求めて
求めない静かさや美は
感じないんだ。
どんなに深い海に潜ったって
「求める意識」でいるのなら
見えないんだ。
ここに現代人の
トラブルのもとがあるのかもしれないな。

＊

自分の内側に入ってごらん――
ぎょっとして立ちどまるよ。
（だって汚いドロがいっぱい
詰まっているからだ）今まで
こんなものを、ためこんでいたんだ、
と知ったら、もう
欲しがらなくなるよ――
すると
開いた口から、
くさい息が少しずつ、

出てゆくよ――そして
内側が空っぽになったら、
そこから、
きれいな水が湧きだすよ！
そんなときが、
ひとの一生には
一度か二度はあるみたいだ。

*

求めない——
と自分に言うと、とたんに
求めずにはいられない自分に
気づく。

それでいいんだ
その気づきから
すべては始まるんだ
その気づきがあって
初めて
求めない——の意味が

分かりはじめるんだ
求めないことの素晴しさが
見えはじめるんだ。

*

求めない――
ということは
なにもしないことではないよ。
求めないことで
かえって自分の
内なる力を汲みだすんだ。
自分のなかの
眠っていた力を呼びさますんだ。

すると

もっと自然な生き方になる。
子どもたちは君と
遊びたがるよ
大人たちは君と
争わなくなるよ——ときには
君を馬鹿にするひともでてくるけれどもね。

＊

求める自分と
求めない自分がいる――
求めない自分は
自我を見ている別の自分だ。

自我のない自分は下にいて
上にいる自分に囁く――
「求めるな」とね。
でもその声は
上にいる自分には

なかなか聞き取れないんだ。

そいつは上にいて、
外を向いていて
外からくるひとや光景や騒音に
気を取られてるからね、
下からの声は聞こえないんだ。

だから、たまには、
下にいる自分が
上にいる自分を
突っつくといいんだ、

その肉づきのいいお尻をね——

＊

求めないと
ドアが自然に開くと気づくよ。
左手のドアかもしれない。
するとそこから
思いがけぬ幸運が
来るかもしれない。
右手のドアかもしれぬ。
そこから思いがけない不運が
出てくるかもしれない。

いずれも
君が求めて開けたんじゃないから
どちらが来ても
君は静かに受け容れることができるんだよ――

＊

求めない――
すると
恐怖が薄らぐ！
恐怖からとても自由になる。
だって恐怖は
多くの場合
求めることから来るからだ。
求めて
求めたものが来なかったらどうしよう。
大変だ――その恐怖なんだ！

ひとに求めたときはとくにそうなんだ。
好意を求めるひとに、もし
冷たくされたら――
金銭か地位を求めて
ノーと言われたら――
その恐怖から
心配、不安、ストレスが生まれるんだ。

求めないと
この恐怖が薄らぐよ
かなり自由になるよ、そして
恐怖から自由でいることは

人生でいちばんいいときかもしれぬ。
たぶんライフのエンジョイメントは
ここから始まるんじゃないかな。

*

求めない——

すると

ひとの後からゆっくり行くようになる

するとみんなの後ろ姿が

よく見えるんだ

ひとびとは

前のめりに走ってゆく

息せききって歩いてゆく

休んだと思うとすぐ立ち上がる

休む前よりも、もっと早足になる――
君はその真似をしなくなるよ

＊

花は虫に交配を求める
虫は花に蜜を求める
花と虫は互いに求めあうことで
互いを生かしている
それは片方だけが「求める」ことじゃないんだ。

子が母の乳房を求めるとき
母も子に乳を飲むように求める
それは片方が「求める」ことじゃあない
互いを生かすことなんだ。

共存とは、
「求めあう」ことじゃなくて
互いに「与えあう」ことなんだ。
片方だけが求めるとき
相手を傷める――
奪うからだ。

生物は互いを生かすように求めあうことで
生き延び
進化してきたんだ。

それが止んだとき、

人類は滅びに向かうかもね。

＊

ひとは、誰もみな
誰かに求められたがっている、だって
誰にも求められない自分を思うと
淋しいからだ。怖いからだ。
その恐怖を消そうとして、ひとは
誰かを求める。
これは当然さ――それでいいんだ。
でもね、心ではなくて力で
求めたとき、相手は恐怖を持つよ。

力ずくでひとを求めないとき、
ひとはあなたを求めるようになる——
だってひとは
求められないことで、
君に安心するからだ。そして
かえって、
君に、なにかしてやりたくなるんだ。

*

求めない――
すると君は
求めないほうの自分を
知りはじめる。そんな自分を
面白がりはじめる。
愛しはじめる。
その自分が淋しくなり
怖くなりもする。
そしてまた、ひとを、
求めはじめる――

それでいいんだ、ひとたび
求めない自分があると
知ったんだから——

*

求めない――
すると
依頼心が消えるんだ。
依頼心はイリュージョンだよ。ひとは幻に
頼ろうとしてるんだよ。

求めない――
すると
頼らなくなる。
これが「求めない」の

いちばんすごいポイントかもしれない。

＊

いまあるものでじゅうぶんだ、
と知るひとだけが、
生きることの豊かさを知るんだよ。
その豊かさは命の喜びだ。それを
否定して、欲するなと
言うんじゃないんだ――
命の喜びを越えたら、
どこかで止めることさ。それだけさ。
すると
静けさと平和

このふたつが見つかる——
それが豊かさなんだよ。

＊

求めないでいられるとき、ひとは
いちばん自由なんだ。
着るものも
食べるものも
住むところも充分にあったら、それ以上は
求めないでいるとき
とても自由なんだ。

ところで、
求めないでいられるのは

君がもう持っているからだ。
持たないひとに
求めるなといえば
無理さ。

衣・食・住が足りていて
それから、君が
礼儀や気取りを捨てたとき
自由がくるんだ。

ただね、
ひとから求めるなと求められて
それに従ったって自由はないよ。

*

足りてれば誰だって求めないさ、
と誰かが言ったら、
それは嘘さ。

みんな、君もぼくも、
彼女も、彼も、

足りているのに、
もっと求めてるんだよ。

なぜだろう
なぜひとは
足りているのに、さらに
求めるんだろう――

怖いからさ!
足りているのに
足りないときのことを気にして
もっともっと持ちたがるんだ――

怖いからさ。

*

どうしてそんなに
求めるななんて言うんです？
それはな、求めないと、
気持ちがいいからさ！

あとがき

私は日誌をつけています。五十年以上になるけれども、今までは読み返そうとしなかった。心がつねに先へ先へと走りがちで、過去を省みなかったからです。

ところが最近になって、昼寝の時などに、日誌の一冊をとりだすようになった。八十という年齢になったせいでしょうか。ある日、一九八五年の日誌を見ていて、おやっという驚きの気持ちを覚えました。その当時私は六十四歳、青山学院短大での教職にいて、横浜に住んでいました。

七月二十五日（日）

この日々、ようやく自分のなかにはなにか別の「自分」が生まれ直しはじめたかに、感じられる。

人生には惨めさがなくなれば、小さな幸福がひらけるだろう。人生の中から惨めさを消すには、ひとに求めないことだ。ひとはかならずあなたの期待を裏切るからだ。

また、自分にも求めないことだ。求められたほうの「自分」は、求めるほうの「自分」を裏切る。なぜなら「求める自分」は小さく「求められるほうの自分」は大きいからだ。人は他人にも自分にも求めなくなった時、「随所の主」となることができそうだ。


このページを見て私が驚いたのは、すでにこの年の日誌に「他人に求めない」とか「自分に求めない」と書いている点です。

そういえば、もうひとつ思い出した。同じ頃の秋の一夜、私は東京の銀座で画家の個展パーティーに出たあと、友人たちと神田のバーへ行った。タクシーが堀端を走っていた時、ふと、その暗い水に浮いている二羽の白鳥を見た。ほんの一瞬のことだったが、目に焼きついた。やがて詩を書いたが、その中にこんな数行があった――

まことに秋の夜の
冷たい闇の水にいる白鳥は
美などという抽象ではなかった
人工照明なし
一点の彩色なし
デフォルメもアブストレーもなし
金箔の額縁や
題名の札や小さく書かれた

巨額の値段はなく
誰の眼も関心も世辞も賞讃も求めず、ただ
あそこに「在る」だけだ

いったい
なにひとつ求めない美とはなんなのであろうか[*1]

二十年前の私はすでにこんな考えを抱いたのだ——しかしそれらはふと心に浮かんだだけで、私の中に根づかなかった。その二十年の間に、私は英米文学から『老子』のタオイズムに転じたし、生活は大都会から伊那谷に移って、家族から離れた独り暮しとなった。それまでの西洋的合理主義と都会人的心性から一変して、少しずつ自然と交流するタオイストになったわけです。

一昨年の夏、とつぜん私の胸中に「求めない——」ではじまる語群が次々と湧き出した——それは画室にいる時、林を歩く時、時には飯を作っている時にも出てきたのです。

求めない——
すると
心が静かになる

求めない——
すると
人に気がねしなくなる

求めない——
すると
「自分」の時間が生まれるんだ

四か月の間にこういう短句が百五十ほどと、短詩十三篇がノートに記されました。

これは私の中に小爆発が起きたのであり、こんなことは、長い年月の文筆生活でもごく稀なことだ。私が詩を書く時は、まず二、三行の言葉が胸中に湧き、その言葉に潜む感情と意味を考え探って、一篇の詩に仕上げてゆくのです。最初の数行の言葉が自然に胸に湧くのは、ひと月に一度かふた月に一度くらい——一冊の詩集になるには四、五年かかるのです。

今度のように、自然に自動的に言葉が湧き続けることはごく珍しい。四年前、板橋文夫のピアノとともに、「谷の歌」なる詩を即興に詠じた時がそうで、二百行ほどの詩行が湧き続けました。この時と今度と、このふたつの経験しかありません。両方とも、頭でなくて体全体が、――さらに言えば体を通して何か別のものが――語り出したという感じです。

しかしなぜいま、「求めない」という思想が噴出したのだろうか。二十年前の私は、「人生、いかにしたら惨めさを消しうるか」を思い、また「求めない」美とは？と考えた。あの時の思いが自分の無意識の中に残ったらしい。じっさい、伊那谷に来てからは、それまで湧かなかった詩や画が作れるようになった。「求めない」という想念の復活も、この思いがけない展開の一例だと感じています。

人間とは、何かを求めずにはいられない存在です。この前提は否定しないのですが、同時に人間は求めすぎることを抑える時、自分の中のものが出てくる――ということも、生じるのです。とくに現在の私たちの生活は、自分の好むと好まざるとにかかわらず、求めすぎている。いや、求めるように促されている！　そこをポイントにして出てきた言葉なのです。二十年前と違って今度は、足ルヲ知ルコトハ富ナリという老子の思想がベースになっています。「足ルヲ知ルコト」で、どんな富が見つかるのか、どんな豊かさが生じるのか――この問いに、私は無意識に答えていたといえるようです。

この思想はずいぶん古くからあった。老子や孔子、ブッダやキリストは、男性中心社会の欲望過多に深い警告を発したのです。それ以来、この思想はたえず人々の間に伝えられてきたのですが、同時に、社会の発展を目指すリーダーたちには無視され、省みられずにきたのです。もしそうでなかったら、二十一世紀の世界はよほど平和で和やかなものとなっていたでしょう。

しかし、この小さな奇妙な本は、そういう古来の思想・哲理を再説しようという解説者心理から出たのではないのです。言いかえると、この本の中にある言葉はすべて、私の中で湧きおこり、生動して、意識にまで達したものなのです。その元になったのは、私の学問でなくて、生きてきた経験と体験です。それが今に至って化学反応を起こして小爆発をしたのです。

このような（私にとっては素晴しい）本に仕立ててくれた井上有紀、装幀の鈴木成一の二氏と、小学館に深く感謝します。

二〇〇七年四月　於伊那谷晩晴館

加島祥造

＊1（「ある秋の夜のこと」詩集『放曠』より）

あんたがたどこさ
ひごさ
ひごどこさ
くまもとさ
せんばやまには
たぬきがいてさ
そんでさ——

真実（リアリティ）は
嘘（イリュージョン）に支えられている
嘘に支えられない真実なんて偽物だ

小さな嘘の裏には、小さな真実がある
大きな嘘の裏には、大きな真実がある
世間の常識から見れば
老子はほら吹きだった
荘子はその十倍も大ぼら吹きだった

彼らの嘘のなかに
はるかにソリッドな真実がある
ここでの私は
小さな嘘しか吐けなかったけれど
それでも
吐けて、いい気持ちだ——

この気持ちを分けあいたかった
嘘のために常識を放りだせる人たちと――

あんたがたどこさ
いなさ
いなどこさ
こまがねさ
いなのたににも
たぬきがいてさ
そんでさ――

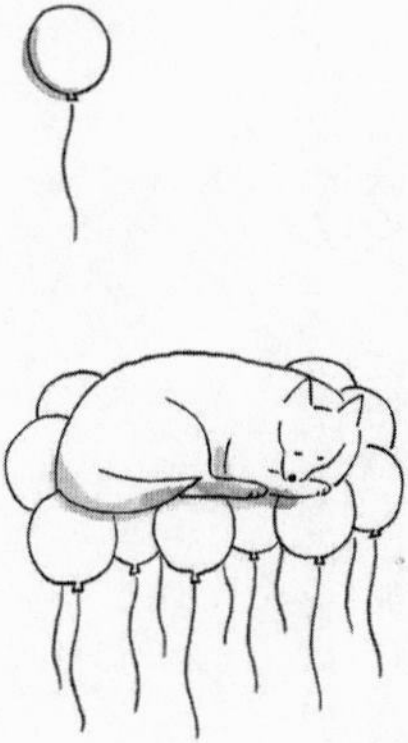

解説

『求めない』は、やはり加島さんの本だよ

帯津良一

加島祥造さんとの共著『静けさに帰る』(風雲舎)が上梓されたのが二〇〇七年の十一月。対談のために初めて伊那谷を訪れたのが二〇〇五年の七月。夕暮れの庭先に淡黄色の夕菅《ゆうすげ》の花がひっそりと咲いていた。

一日目の対談を終えて、まだ陽のある天竜川の土手を散策した。加島さんとアムさんなるドイツ人の女性、風雲舎Y社長と私の四人である。

まずは加島さんの健脚ぶりに驚いた。どうしても置いて行かれてしまう。置いて行かれて後ろから見てまた驚いた。背筋がぴんと伸びているのだ。しばらくしてこの歩き方は誰かに似ているなと思った。

そうだ!「星の王子さま」だ。ということは、アフリカの砂漠に不時着したフランスの小説家、サン＝テグジュペリが見た星の王子さまは、じつは老子の化身だった

のだ。十分にあり得ることだ。

　二度目の対談は、池袋の居酒屋さん。三度目は再び伊那谷へ。二〇〇六年十一月のことである。このとき、免疫力や自然治癒力を高める最大の要因は心のときめきであるという私の持論を披露したところ、

「ときめきぃ?!」

と、きっと私を睨《にら》んだあと、

「そりゃあ、なんたって女だよ!」

ときた。

思わずアムさんのほうを見る。苦笑するアムさんはドイツ人の女医さんとのことだが、歳の頃六十歳といったところか。美貌、知性、色気の三拍子そろったすばらしい女性である。その上、折り目正しい日本語に、愛車を駆れば、じつに小気味好い運転をする。

そのアムさんの突然の訃報に接したとき、まもなく加島さんの訃報が届くのではないかとひそかに心配していたが一向にその気配がない。あるとき、私が常宿にしているホテルGのなかの中華レストランのママさんが、先日、加島さんという方がお見えになり、帯津さんは来るかい?と訊《き》いていましたという。どういう風の吹きまわしだ

ろうと不審に思っていたところ、しばらくして、また加島さんがお見えになりました、今度は隠さなくてもいいとおっしゃるので言いますが、若いきれいな女性が一緒でしたという。そうかそういうことだったのかと讃嘆すること頻《しき》り。

ところで『求めない』を初めて手にしたとき、なんと労少なくして功多しの本だろうと驚いた。しかし何回か手にしているうち、それほど軽くないのに気づく。行間の重さなのだ。一見なにもない広い行間に加島哲学が詰まっているのだ。たとえば

ぼくが「求めない」というのは
求めないですむことは求めないってことなんだ。

すると
体のなかにある命が動きだす。
それは喜びにつながっている。

これはH・ベルクソンの「生命の躍動（エランヴィタル）」だ。彼によれば、生命

の躍動なる内なるダイナミズムによって命のエネルギーが溢《あふ》れ出ると私たちは歓喜につつまれる。しかもその歓喜はただの快楽ではない。そこにはかならず創造が伴われているという。

なにを創造するのか？　自己の力をもって自己を創造するのである。つまり自己実現ではないか。歓喜と自己実現。これこそ人間の尊厳の中核ではないか。私たちは生老病死を通じて人間の尊厳を全うすることによって来世に備えているのだと、ベルクソンはいう。

求めない――
すると
楽な呼吸になるよ

呼吸が楽になるということは、呼吸に意識を向けることによって初めてわかることである。生命を維持するためにふだんは無意識におこなわれている呼吸に意識を向けることによって呼吸法になる。

洋の東西を問わず、古来呼吸法は養生法の一翼を担ってきた。養生とは生命を正しく養うこと。しかし、これまでの養生法は、身体をいたわって病を未然に防ぎ天寿を全うするといった守りの養生であった。定義にもとる感じは否めない。

ひるがえって、これからの養生は日々命のエネルギーを勝ち取っていき、死ぬ日を最高に、その勢いを駆って死後の世界に突入するという攻めの養生である。これなら定義に合致する。さらに生老病死を通じて攻めの養生を果たしていくことも、人間の尊厳の中核にはちがいない。

そして蛇足ながら、レイモンド・チャンドラー描く探偵フィリップ・マーロウの言を借りれば、

人間は呼吸なくしては生きては行けない。呼吸法がなければ生きていても仕方がない。

ということになるか。

求めない――

すると

自分の別の顔が見えてくる
それは
柔らかな顔をしている

やはり人相が大切だ。患者さんとつきあっていると、自然治癒力の高まった人は人相がいいことに気づく。人相にはその人の内なるエネルギーがしみ出る。人相のよい人が増えれば世の中はもっと良くなる。

求めない——
すると
心が空に向かって開く

空の向こうには宇宙があり、宇宙の向こうには虚空がある。私たちは虚空からの孤独なる旅人。旅人は旅情を抱いて生きている。旅情とは喜びと悲しみ。ときめきとさびしさなどが錯綜《さくそう》する、しみじみとした旅の想い。その根底にはかなしみが横たわっている。

あなたもわたしも、生きとし生けるものなべてかなしみを抱いて生きているのだ。かなしみを抱きしめながらも健気《けなげ》に生きているのだ。ならば互いのかなしみを敬いあおうではないか。それだけで医療が本来のぬくもりを取り戻すのは必定だ。医療が良くなれば世の中はもっともっと良くなる。

あとは私たちの一人ひとりが自らの心身を、そして命を、虚空に向かって寛放《かんぽう》すればよいのだ。これぞ唯識の阿頼耶識《あらやしき》の世界ではないか。

求めない——

すると

待つことを知るようになる。

貝原益軒《かいばらえきけん》は『養生訓』を著して長寿や無病を説いたのではなく、粋な生活を求めたという。では粋とはなにか。

『「いき」の構造』（九鬼周造著、岩波文庫）では、粋の要素のひとつに諦めを挙げている。なにごとにおいても最後まで追求すればいいというものではなく、ほどよいところで諦めることが大事であると説く。この「諦め」の心と「求めない」の心には、通じるものがあるのではないか。

また粋とは、張りがあって色っぽいことだともいう。張りがあるとは意気地《いきじ》すなわち、事を貫徹しようとする気力だが、ライバルが現れた場合は、お先にどうぞ、私はあとから行きますからという謙譲の心が要求される。色っぽいとは異性への飽くなき関心から生まれる性的魅力である。こうしてみると、粋とは、まさに加島さんそのものだ。加島さんの生き方が、内にダイナミズムを抱き、外にダンディズムを発揮する粋な生き方そのものに思えてくる。

粋すなわちダンディズムを発揮して生きるということは、人間の尊厳を全うすることにほかならない。加島祥造さんは『求めない』という行間のきらめく本によって、人間の尊厳というものを追求しているのではないだろうか。

（おびつりょういち　日本ホリスティック医学協会会長／帯津三敬病院名誉院長）

―――本書のプロフィール―――

本書は、二〇〇七年七月に単行本として小学館より刊行された同名の作品を、文庫化したものです。